© Pour la création, le scénario et les illustrations:
A.M. Lefèvre, M. Loiseaux, M. Nathan-Deiller, A. Van Gool
Direction éditoriale: CND International
Maquette de couverture: Yann Buhot
Edité et produit par: ADC International - 1998 Eke Nazareth, Belgique

ISBN 2-7625-1347-2

Les Trois Petits Cochons

illustré par

'''VAN GOOL'''

EH Héritage jeunesse

Il était une fois trois petits cochons. Ils vivaient avec leur famille dans une jolie maison à la campagne. Les parents étaient honnêtes et travailleurs. Toute la journée, ils soignaient les poules et les lapins, cultivaient leurs champs et s'occupaient du jardin.

Mais cette vie ne plaisait pas aux trois petits cochons. Ils voulaient voir du pays et vivre leur vie. Alors, un jour, ils firent leur baluchon et se préparèrent au départ. Les parents étaient très inquiets de les voir s'en aller.

Le père leur fit toutes sortes de recommandations :
— Restez bien toujours ensemble et ne dépensez pas
à tort et à travers, dit-il.

— Et surtout, surtout, méfiez-vous
du loup ! ajouta-t-il. Ce qu'il aime
par-dessus tout, c'est croquer
les petits cochons imprudents !
L'aîné des petits cochons, qui était
très sérieux, écouta attentivement
tous ces bons conseils.

Mais les deux autres, le nez au vent,
impatients de découvrir le monde,
crièrent :
— Oui, oui, oui, on sait tout ça.
Tout ira pour le mieux, ne vous
en faites pas !

— Donnez-nous vite de vos
nouvelles, cria la mère.
Elle voulait encore ajouter quelque
chose, mais c'était trop tard : ses
trois rejetons étaient déjà loin...

Les trois petits cochons marchèrent pendant longtemps. Ils visitèrent presque tout le pays. Et puis un jour, ils en eurent assez.

— Cherchons un endroit où nous construire une maison, dit l'aîné des cochons.

— Bonne idée, dit le second.

— En effet, dit le troisième. Je suis bien fatigué.

Peu après, ils traversèrent
un bois et arrivèrent dans
une jolie petite clairière.
Le plus jeune des cochons
s'exclama :
— Voilà le bon endroit pour
construire notre maison.
L'aîné protesta :
— S'installer dans la forêt
est risqué. Le loup ne doit
pas être loin !

Là, les deux autres se moquèrent de lui.

— Tu n'es qu'un poltron ! Depuis que nous voyageons, nous n'avons vu aucun loup.

— Ça, c'est vous qui le dites. Allons ailleurs.

— Ah non !

— Ah si !

Ce n'était que le début de la discussion. Jamais les trois petits cochons ne parvinrent à se mettre d'accord.

Finalement, il fut décidé que chacun
construirait sa maison à l'endroit
qui lui plairait.

— Je vais au village pour acheter des
briques et du ciment, annonça l'aîné
des cochons. J'en prendrai pour vous
si vous me donnez vos sous.

Les plus jeunes se récrièrent :

— Nous n'avons plus d'argent, nous
avons tout dépensé. Et, de toute
façon, c'est bien trop fatigant de
construire une maison de brique !

Le petit cochon partit au village, acheta une brouette et la remplit de tout ce qu'il fallait pour se faire un véritable palais.
Puis il retourna vers l'orée de la forêt, où il s'arrêta.
— Je vais bâtir ma maison ici, se dit-il. Je ne suis pas loin de mes frères et je pourrai les surveiller.

Pendant ce temps, les autres avaient commencé à réunir, qui de la paille, qui des branches, pour construire leurs maisons. L'aîné, quand il vit cela, s'exclama :

— Vous êtes fous ! Vos maisons ne seront jamais assez solides pour vous défendre contre le loup !

Ses frères se moquèrent de nouveau :

— Ouh ouh ouh ! Nous, on n'a pas peur du loup !

La maison de paille et la maison de bois furent bientôt
terminées. Les deux petits cochons, tout contents
d'eux, s'en allèrent voir leur frère. Ils le trouvèrent
en train de poser péniblement les briques d'un haut
mur. Cela les fit beaucoup rire :

— Regardez cet idiot ! Il n'est pas près de terminer !
Et nous, nous allons nous promener !

— Riez, riez ! grommela leur aîné. Nous verrons bien
qui avait raison.

Les deux petits frères allèrent faire
un tour. Ils cueillirent des fleurs,
admirèrent les oiseaux, mangèrent
tout plein de baies. Et, comme le
soir tombait, ils ne remarquèrent pas
une ombre qui, de loin, les suivait...
Ils regagnèrent chacun leur maison,
ravis d'y passer la nuit pour
la première fois.

Très tard, l'aîné des cochons termina enfin sa maison. Il posa la dernière tuile sur le toit, descendit péniblement, car il était très fatigué. Puis il contempla un instant son œuvre, satisfait, entra dans la maison et s'enferma à clé.

Plus tard encore, une silhouette
se découpa au clair de lune.
Un hurlement étrange retentit
dans la nuit.
— Ouououh ! Ouououh !

Dans sa maison de brique, le petit cochon frissonna.
— C'est le loup, j'en suis sûr, murmura-t-il. Il a vu nos maisons et il veut nous manger…

Au matin, les trois cochons se retrouvèrent pour
le petit déjeuner. L'aîné avertit ses frères :
— Cette nuit, j'ai entendu le loup. Méfiez-vous !
— Mais c'est une manie, gémirent les autres.
Vraiment, tu nous ennuies ! Il n'y a aucun loup ici.
— Vous êtes des inconscients ! Oubliez-vous
ce que nos parents nous ont dit ?
Quel rabat-joie ! Les deux petits quittèrent la table,
furieux, et rentrèrent chez eux.

Quelques minutes plus tard, un loup
immense sortit de derrière un chêne
et s'approcha de la maison de paille.

— Toc toc toc !

— Qui est là ?

— C'est le loup, ouvre-moi !

C'était donc vrai ! Le cœur battant,
le petit cochon se colla derrière
la porte et répondit :
— Sûrement pas, tu veux me manger !

Le loup ricana :
— Puisque c'est comme ça,
je vais souffler… souffler...
et ta maison va s'envoler !
Et c'est ce qu'il fit.
La maison était si légère
qu'elle s'envola dans
les airs.

Mais à la grande surprise du loup, quand la maison retomba, le petit cochon n'était plus là. Son souffle l'avait projeté à plusieurs mètres. Il s'était relevé sans mal et s'était précipité vers la maison de son frère. Hélas ! le loup le vit y entrer.

— Chic ! pensa-t-il. Deux petits cochons bien gras valent mieux qu'un !

Tranquillement, il se dirigea vers la maison de bois.

— Qui est là ? chuchota une voix tremblante.
— C'est le loup… Ouvre-moi !

— Sûrement pas ! Tu veux
nous manger !
— Alors je vais souffler…
souffler… et ta maison
va s'envoler !
La maison de bois était plus
résistante que la maison de
paille. Le loup dut souffler
un grand nombre de fois.

Il était si absorbé par son
effort qu'il ne vit pas les
deux petits cochons qui
s'enfuyaient discrètement
par la fenêtre de derrière.
Quand, enfin, la maison
s'effondra, le loup en
fouilla les débris...
et ne trouva rien !

Furibond, le loup regarda autour de lui. Il vit au loin deux petites silhouettes qui couraient vers la lisière de la forêt.

— Non ! hurla-t-il, ils ne m'échapperont pas !

Et il se rua à leur poursuite.

Les deux petits cochons affolés
arrivèrent à la maison de brique
et tambourinèrent contre la porte.
— Au secours ! Ouvre-nous !
L'aîné comprit aussitôt la situation.
Vite, il fit entrer ses frères et ferma
à double tour.

— Un troisième cochon ! Vraiment, c'est mon jour de chance ! jubila le loup. Cette fois, il n'y alla pas par quatre chemins.

— Ouvrez-moi ! hurla-t-il.

— Pas question ! crièrent les trois petits cochons.

— Alors je vais souffler…

Pour toute réponse, des bruits
de marteau retentirent. L'aîné
des cochons était en train de clouer
les volets. Le loup souffla comme
un fou pendant de longues minutes.
Mais la maison de brique résistait.
— Ça par exemple ! Je n'y arrive
pas ! s'étonna le loup.
Et il recommença de plus belle.
Rien n'y fit.

Rouge et suant, le loup commençait à renoncer aux délicieux jambons dont il avait rêvé, quand, soudain, il eut une idée. Il alla chercher une échelle qui traînait dans le jardin...

... et il commença à grimper vers le toit.

— Qu'est-ce qu'il fait ? murmura le plus jeune des cochons.

— Je crois le deviner, répondit son grand frère.

— Vite, mettez du bois dans l'âtre… Allumez le feu !
Puis l'aîné alla chercher une énorme marmite pleine
d'eau qu'il accrocha au-dessus des flammes naissantes.
L'eau commençait à bouillir. Les trois petits cochons,
haletants, guettaient le moindre bruit, quand un
ricanement terrifiant retentit au-dessus de leurs têtes :
— Alors, vous avez cru m'échapper ! C'est raté !

Le loup avait commencé
à s'introduire dans
la cheminée. Il imaginait
déjà le délicieux repas
qu'il allait faire...

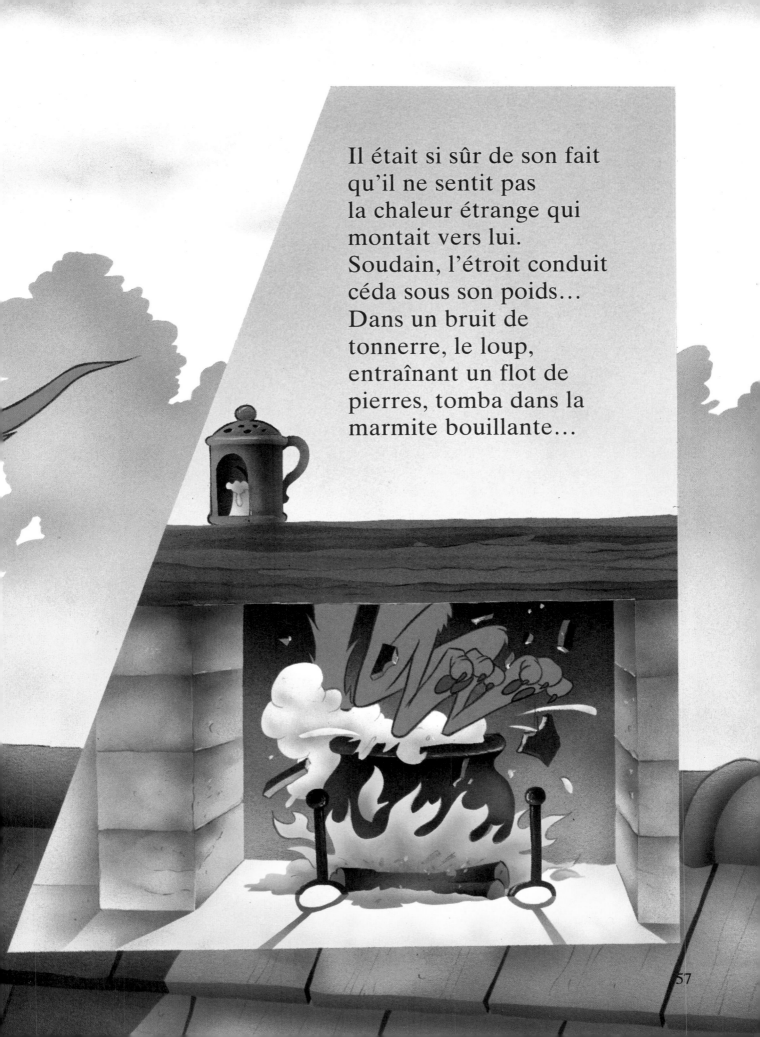

Il était si sûr de son fait
qu'il ne sentit pas
la chaleur étrange qui
montait vers lui.
Soudain, l'étroit conduit
céda sous son poids…
Dans un bruit de
tonnerre, le loup,
entraînant un flot de
pierres, tomba dans la
marmite bouillante…

— Aouiouilouillle ! hurla le loup.
Souffrant, des larmes de douleur lui coulant sur les
joues, il n'eut brusquement qu'une idée, rafraîchir
son derrière brûlé. Il se précipita vers la porte,
obligeamment ouverte par l'aîné des cochons, et s'enfuit
sans demander son reste vers la rivière la plus proche.

Pleurant, riant, les deux petits
cochons se précipitèrent dans
les bras de leur grand frère.
— Merci ! Merci ! Tu nous a sauvé
la vie ! C'est toi qui avais raison,
et désormais nous t'écouterons !